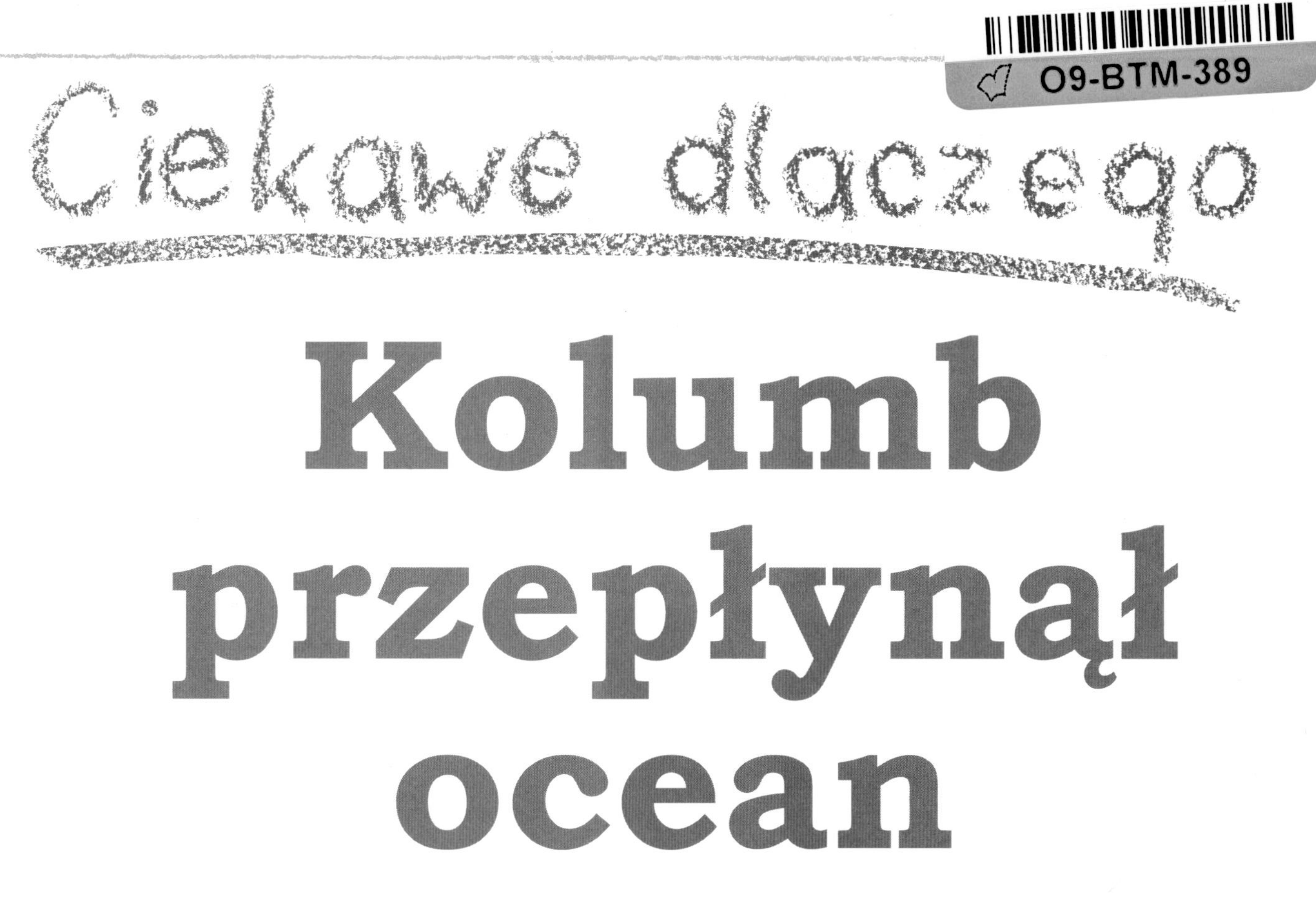

Ciekawe dlaczego

Kolumb przepłynął ocean

i inne pytania na temat podróżników

Rosie Greenwood

Tytuł oryginału: Columbus Crossed The Ocean
Published by arrangement with Kingfisher Publications plc.

ISBN 83-7423-292-7

Autor: Rosie Greenwood
Ilustracje okładki: Ross Watton
Ilustracje: Marrion Appleton 8;
Chris Forsey 8, 10–11;
Richard Hook 12–13, 22–23; John James 6, 17;
Peter Jones (John Martin) 14–15,
Mike Lacey 16–17, 18–19, 22, 23;
Linden Artists 5; Mortlemans/Phillips 19;
Alex Pang 8, Neil Reed 24–25, 30;
Bernard Robinson 4–5; John Spires 12;
Mike White 9, 19, 23, 25, 26;
Paul Wright 17, 20–21;
Peter Wilkes (SGA) – wszystkie kreskówki.

Przygotowanie do druku: K&OLECH
Druk: Drukarnia Legra Sp. z o.o., Warszawa

Wydawca: Firma Księgarska Jacek i Krzysztof Olesiejuk
„Inwestycje" Sp. z o.o.
01-217 Warszawa
ul. Kolejowa 15/17

SPIS TREŚCI

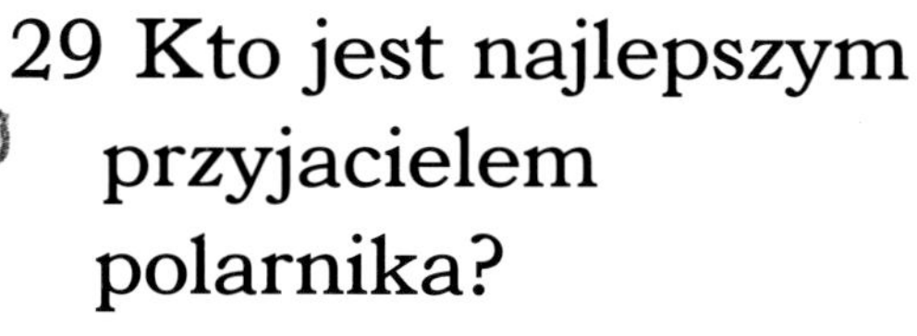

Kim byli pierwsi podróżnicy?

Już 3500 lat temu Polinezyjczycy z Nowej Gwinei odbywali długie podróże oceaniczne. Opuszczali swą rodzinną wyspę, by w łodziach niewiele większych od kajaków szukać nowych, nieznanych lądów.

- W ciągu wieków różne grupy Polinezyjczyków osiedliły się na tysiącach wysp na Oceanie Spokojnym.

Gdzie był Punt?

W czasie gdy ludzie wypływali w łodziach z Nowej Gwinei, tysiące kilometrów dalej, w Egipcie, znacznie większe okręty żeglowały do krainy o nazwie Punt. Leżała ona wiele kilometrów na południe od Egiptu, nad Morzem Czerwonym. Punt odkryli w starożytności egipscy podróżnicy.

● Około 2300 lat temu grecki podróżnik Pyteas popłynął na północ, wzdłuż wybrzeża Hiszpanii, Francji i Brytanii. Być może dotarł nawet do Norwegii.

Kim był Hanno?

Tysiąc lat później Hanno wyruszył z Kartaginy, miasta leżącego na wybrzeżu obecnej Tunezji. Hanno był jednym z pierwszych znanych nam z imienia podróżników i odkrywców.

● Okręty Hanno wypływały na zachód, na Ocean Atlantycki, a potem na południe, trzymając się wybrzeża Afryki. Być może dopływały nawet do miejsca, w którym dziś leży kraj zwany Sierra Leone.

Dlaczego ludzie wyruszają w dalekie podróże?

W ciągu wieków ludzie mieli wiele powodów, by wyruszać w długie i niebezpieczne podróże. Niektórzy szukali nowych krain, z którymi mogliby handlować, albo gdzie mogliby się osiedlić. Inni chcieli głosić swą religię. Jeszcze inni mieli nadzieję, że zdobędą sławę i bogactwa, a niektórzy po prostu szukali przygód.

● Około 1000 roku n.e. dzielni Wikingowie pod wodzą Leifa Erikssona jako pierwsi Europejczycy przepłynęli Ocean Atlantycki i dotarli do Ameryki Północnej.

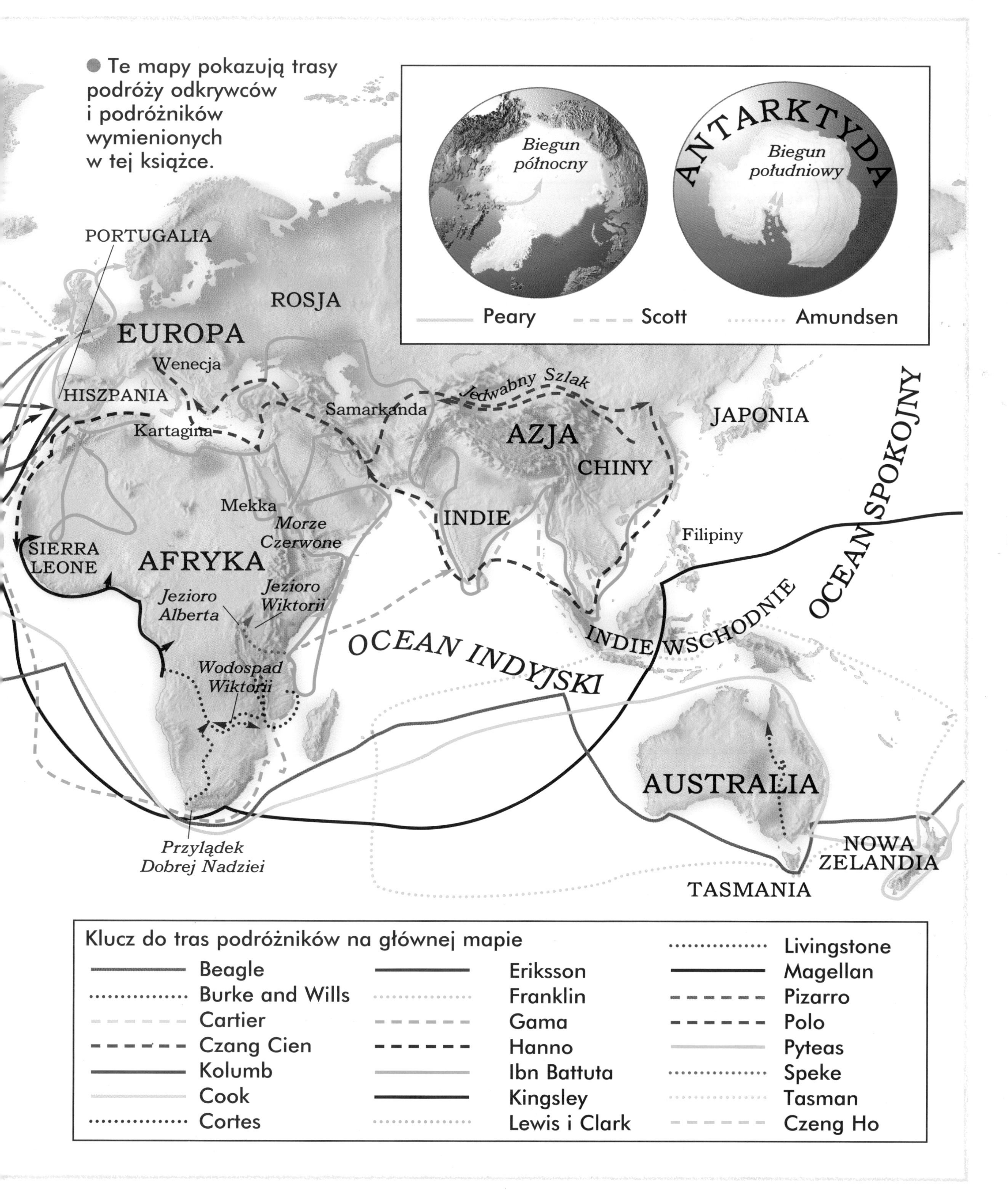
Te mapy pokazują trasy podróży odkrywców i podróżników wymienionych w tej książce.
Biegun północny
ANTARKTYDA
Biegun południowy
Peary
Scott
Amundsen
PORTUGALIA
ROSJA
EUROPA
Wenecja
HISZPANIA
Kartagina
Samarkanda
Jedwabny Szlak
JAPONIA
AZJA
CHINY
OCEAN SPOKOJNY
Mekka
Morze Czerwone
INDIE
Filipiny
SIERRA LEONE
AFRYKA
Jezioro Alberta
Jezioro Wiktorii
OCEAN INDYJSKI
INDIE WSCHODNIE
Wodospad Wiktorii
AUSTRALIA
Przylądek Dobrej Nadziei
NOWA ZELANDIA
TASMANIA
Klucz do tras podróżników na głównej mapie
Beagle
Burke and Wills
Cartier
Czang Cien
Kolumb
Cook
Cortes
Eriksson
Franklin
Gama
Hanno
Ibn Battuta
Kingsley
Lewis i Clark
Livingstone
Magellan
Pizarro
Polo
Pyteas
Speke
Tasman
Czeng Ho

Dlaczego pierwsi podróżnicy tak wpatrywali się w gwiazdy?

Pierwsi podróżnicy nie mieli kompasów, które wkazałyby im kierunek, ale nauczyli się wykorzystywać położenie gwiazd. W ciągu dnia kierowali się położeniem Słońca.

- W XV wieku n.e. żeglarze używali drewnianego krzyża do określania własnej pozycji. Kierowali dłuższe, poziome ramię na gwiazdę i ustawiali je tak, by jeden koniec ramienia pionowego dotykał na dole horyzontu, a drugi, na górze, tej właśnie gwiazdy. Odczytując wskazania skali na krzyżu i porównując je ze specjalnymi tabelami, potrafili określić swoje położenie.

- Kompas został wynaleziony w Chinach – chińscy żeglarze używali go już przed ponad 1000 lat.

● Pierwsi badacze określali prędkość statku mierząc czas, w jakim przedmiot unoszący się na wodzie przesuwał się wzdłuż całej burty.

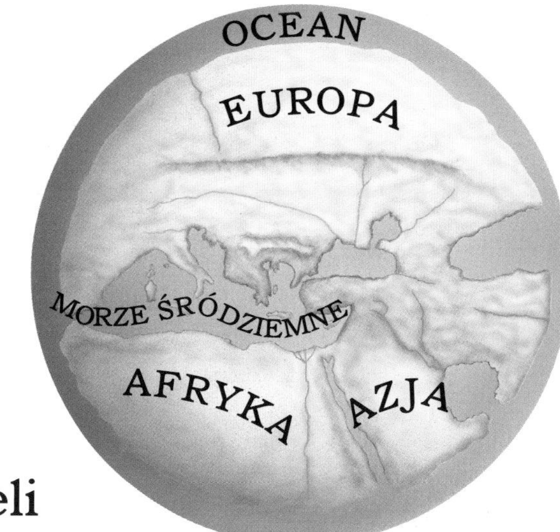

Dlaczego podróżnicy często się gubili?

Starożytne mapy były bardzo niedokładne, bo ludzie wciąż wiedzieli bardzo mało o świecie. Mapy świata zaczęły się poprawiać dopiero w XVI w. n.e., kiedy to miały miejsce pierwsze podróże dokoła świata.

● Przez stulecia Europejczycy wzorowali swe mapy na tej, sporządzonej przez greckiego uczonego, Ptolemeusza, w II w. n.e.

Kiedy Wschód odkrył Zachód?

W 127 r. p.n.e. po długiej i bardzo niebezpiecznej podróży Czang Cien dotarł do Samarkandy w Azji Środkowej. Był pierwszym znanym podróżnikiem chińskim, który podróżował poza granice Chin, i pierwszym, który dowiedział się o istnieniu wielkich cywilizacji Zachodu, takich jak starożytny Rzym.

● Wkrótce po tym, jak Czang Cien rozpoczął swe podróże, został uwięziony przez wrogów Chin, Hunów. Udało mu się uciec dopiero po 10 latach!

● Flota Czenga Ho dopłynęła aż do wschodniej Afryki, skąd przywiozła do Chin żyrafę!

Kto stawiał żagle w dżonkach?

Robili to Chińczycy – ich łodzie to dżonki. Jednym z największych chińskich badaczy był Czeng Ho. W jego czasach, w XV w. n.e., chińskie dżonki były już znacznie większe od europejskich statków.

Czyja podróż trwała 24 lata?

Przygody arabskiego podróżnika Ibna Battuty zaczęły się w 1325 roku, kiedy wyruszył ze swego rodzinnego miasta Tanger w Maroku. Podróżowanie spodobało mu się tak bardzo, że powrócił do domu dopiero w 1349 roku!

● Ibn Battuta napisał książkę o swoich podróżach, czasami jednak pamięć nieco go zawodziła. Napisał, że widział hipopotamy z końskimi głowami i że piramidy miały kształt stożków!

Czym był Jedwabny Szlak?

Jedwabna nić pochodzi z kokonów gąsienic, które żywią się liśćmi morwy.

Po tym, jak Czang Cien odwiedził Środkową Azję, kupcy zaczęli wykorzystywać drogę jego podróży do przewożenia różnego rodzaju luksusowych towarów z Chin do Europy. Europejczycy nazwali tę drogę Jedwabnym Szlakiem, bo jedwab był wśród nich najpopularniejszym towarem z Chin.

- Przez stulecia nikt poza Chińczykami nie wiedział, jak wytwarza się jedwab. Karą za wydanie tego sekretu była śmierć.

- Około roku 550 n.e. cesarz rzymski wysłał do Chin dwóch mnichów. Sprytni mnisi ukryli jaja gąsienic w swoich laskach i przemycili je za granicę Chin – tajemnica się wydała!

Który włoski nastolatek podróżował Jedwabnym Szlakiem?

Marco Polo miał zaledwie 17 lat w 1271 roku, kiedy wyruszył z Wenecji wraz ze swym ojcem i wujem. Trzej podróżnicy pożeglowali na Środkowy Wschód. Potem podróżowali lądem i zostali pierwszymi znanymi Europejczykami, którzy pokonali cały Jedwabny Szlak, aż do Chin.

- Nikt nie wie, kiedy Włosi zrobili pierwsze lody, być może jednak to właśnie Marco Polo przywiózł z Chin przepis na ich produkcję.

Dlaczego Kolumb przepłynął ocean?

Kiedy wielki włoski podróżnik Krzysztof Kolumb wypłynął w 1492 roku z Hiszpanii, miał nadzieję, że uda mu się znaleźć zachodnią drogę morską do Chin. Uważał, że podróż morzem będzie szybsza i bezpieczniejsza niż podróż Jedwabnym Szlakiem.

● Podobnie jak inni Europejczycy w jego czasach, Kolumb nie miał pojęcia, że między Chinami a Europą leży Ameryka i wyspy Zachodnich Indii.

Czy znalazł to, czego szukał?

Kolumb nigdy nie znalazł zachodniej drogi morskiej. Nie wiedział też, że dotarł do Ameryki. Do końca życia był przekonany, że Zachodnie Indie, gdzie wylądował najpierw, były częścią Azji.

Pierwszym Europejczykiem, który pożeglował do Indii, był Portugalczyk Vasco da Gama, a dokonał tego w latach 1497-1498. Popłynął na południe, wzdłuż Afryki, a potem na wschód, a nie na zachód, jak Kolumb.

Jak wyglądało życie na pokładzie?

Zwykli marynarze jedli i spali na deskach pokładu – nie mieli żadnych łóżek ani stołów. Życie marynarza było bardzo ciężkie i niemal całkowicie pozbawione wygód.

Sytuacja marynarzy poprawiła się, gdy ludzie Kolumba dotarli do Zachodnich Indii i zobaczyli tubylców śpiących w wiszących łóżkach. Nazwa „hamak" pochodzi od nazwiska Europejczyka, który jako pierwszy zastosował ten sprytny wynalazek.

Kim byli konkwistadorzy?

Ludzie w Europie szybko zrozumieli, że Kolumb odkrył nowy ląd. Rozeszły się wieści o tym, że Ameryka jest bogata w złoto, a hiszpańscy żołnierze natychmiast ruszyli tam w poszukiwaniu bogactw. Żołnierze ci zwą się konkwistadorami, od hiszpańskiego słowa oznaczającego „zdobywców", bardziej bowiem interesował ich podbój nowych ziem niż ich badanie.

W odróżnieniu od Europejczyków mieszkańcy Ameryki nie używali złota jako pieniędzy. Cenili je tylko ze względu na jego piękno.

Konkwistadorzy byli jednymi z pierwszych Europejczyków, którzy spróbowali smakołyków występujących do tej pory tylko w Ameryce Południowej – od ananasów, pomidorów i ziemniaków po czekoladę.

Gdzie było miasto na jeziorze?

Tym pięknym miastem na jeziorze było Tenochtitlan, stolica ogromnego imperium Azteków, znajdującego się na terenie obecnego Meksyku. Konkwistador Hernan Cortes był pierwszym Europejczykiem, który widział Tenochtitlan. Jego armia podbiła ziemie Azteków w latach 1519-1521.

- Tenochtitlan zbudowano na wyspach na jeziorze Texcoco. Podobnie jak włoską Wenecję, przecinała go siatka kanałów i ulic.

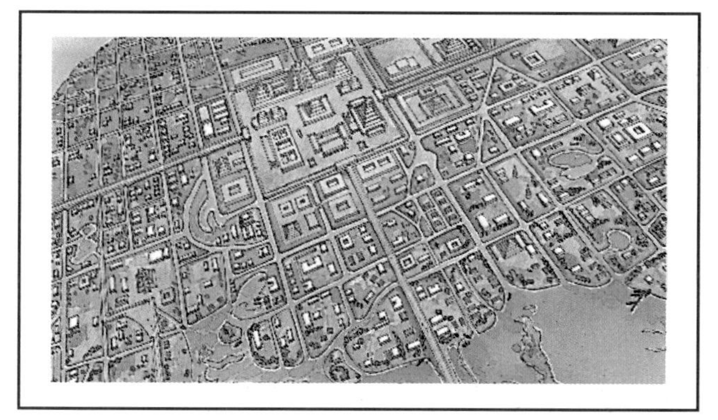

- W latach trzydziestych XVI wieku konkwistadorzy dowodzeni przez Francisco Pizarro podbili wielkie imperium Inków znajdujące się w kraju nazywanym obecnie Peru.

Gdzie była Nowa Francja?

W 1534 roku francuski podróżnik Jacques Cartier wpłynął do zatoki św. Wawrzyńca znajdującej się na terenie obecnej Kanady. Ogłosił, że otaczające zatokę ziemie należą do niego i nazwał je Nową Francją.

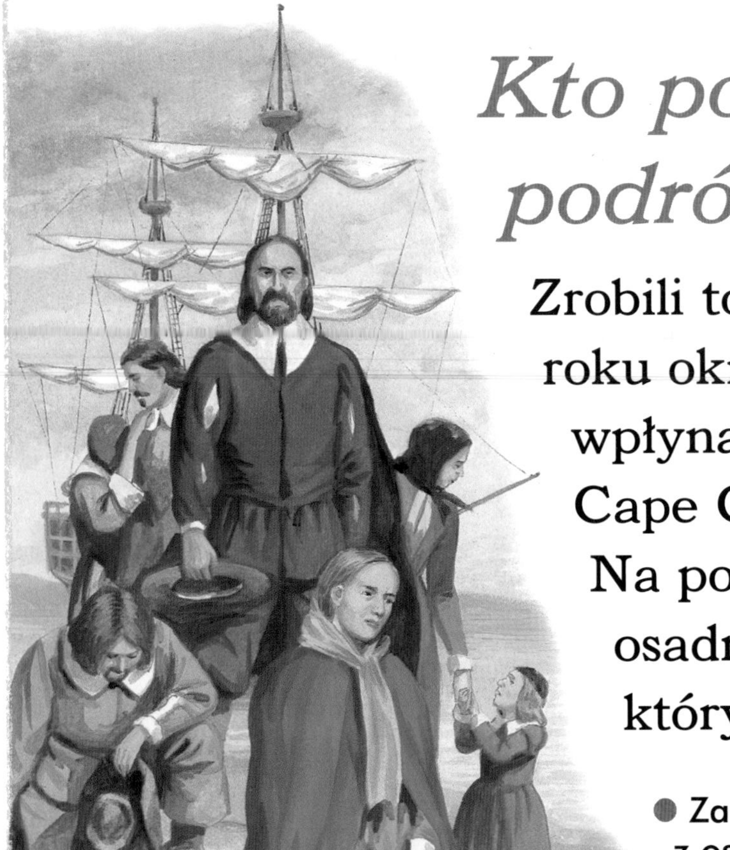

Kto poszedł w ślady podróżników?

Zrobili to osadnicy. W listopadzie 1620 roku okręt o nazwie Mayflower wpłynął do zatoki zwanej obecnie Cape Cod, w stanie Massachusetts. Na pokładzie było 102 angielskich osadników, czy też imigrantów, których nazywano Pielgrzymami.

- Załoga Mayflower drwiła z osadników, bo większość z nich przez całą drogę do Ameryki cierpiała na chorobę morską!

Kto przetarł szlak przez Góry Skaliste?

Ameryka Północna jest ogromnym kontynentem, minęło więc niemal 200 lat nim podróżnicy przedostali się wzdłuż rwących rzek i przez potężne Góry Skaliste na wschodni brzeg Oceanu Spokojnego. Jako pierwsi dokonali tego Meriwether Lewis i William Clark w listopadzie 1805 roku.

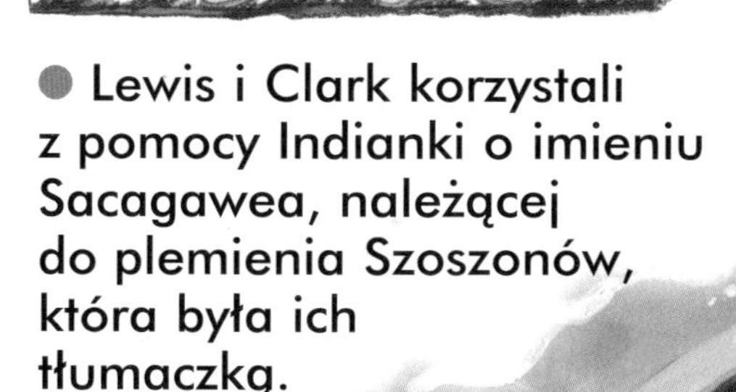

● Lewis i Clark korzystali z pomocy Indianki o imieniu Sacagawea, należącej do plemienia Szoszonów, która była ich tłumaczką.

Skąd wzięła się nazwa „Ocean Spokojny”?

OCEAN SPOKOJNY

Pierwszym podróżnikiem, który znalazł drogę morską wokół Ameryki Południowej i Północnej był Ferdynand Magellan z Portugalii. W 1519 roku wypłynął z Hiszpanii i ruszył na południe, przez Ocean Atlantycki. Rok później okrążył kraniec Ameryki Południowej. Ocean po drugiej stronie kontynentu był spokojniejszy niż Atlantyk, Magellan nazwał go więc Pacyfik, co oznacza „spokojny”.

● Podróż przez Ocean Spokojny trwała dłużej, niż przypuszczano. Ludzie Magellana zużyli całe zapasy i musieli jeść szczury, skórę, a nawet trociny!

● Magellan wyruszył z Hiszpanii z pięcioma okrętami i 240 ludźmi. Do Oceanu Spokojnego dotarły tylko trzy okręty.

Kto pierwszy opłynął świat?

To właśnie ekspedycja Magellana po raz pierwszy dokonała tego niezwykłego czynu, choć do Hiszpanii w 1522 roku wrócił tylko jeden okręt i osiemnastu ludzi. Niestety, nie było wśród nich Magellana – został zabity przez tubylczą ludność Filipin w 1521 roku.

Czym jest Przejście Północno-Zachodnie?

To droga morska wokół górnego krańca Ameryki Północnej, odkryta w latach czterdziestych XIX wieku przez brytyjskiego podróżnika Johna Franklina. Niestety, Franklin i jego załoga nie pokonali całej drogi – umarli po tym, jak ich okręt został uwięziony w lodzie.

Dlaczego doktor Livingstone jest sławny?

W latach pięćdziesiątych XIX wieku szkocki podróżnik, doktor David Livingstone, został pierwszym Europejczykiem, który przeszedł Afrykę z zachodu na wschód. Dzięki tej niezwykłej, trzyletniej podróży zyskał w Wielkiej Brytanii ogromną sławę.

● Livingstone był pierwszym Europejczykiem, który zobaczył niezwykły wodospad Wiktorii na rzece Zambezi.

Kto rozwiązał zagadkę najdłuższej rzeki?

Aż do lat sześćdziesiątych XIX wieku Europejczycy nie mieli pojęcia, gdzie zaczyna się Nil, uznawany za najdłuższą rzekę świata. Dopiero brytyjski podróżnik John Hanning Speke udowodnił, że Nil wypływa z ogromnego afrykańskiego jeziora nazywanego obecnie Jeziorem Wiktorii.

W 1864 roku Florence White Baker i jej mąż jako pierwsi Europejczycy ujrzeli ogromne jezioro nazywane obecnie Jeziorem Alberta.

Dlaczego niektórzy podróżnicy nosili suknie?

Kobiety w podróży zawsze nosiły suknie! Choć ogromną większość dziewiętnastowiecznych podróżników stanowili mężczyźni, niektóre odważne kobiety także wyruszały w nieznane. Należała do nich brytyjska podróżniczka Mary Kingsley. Pod koniec XIX wieku zrezygnowała z domowych wygód i zawędrowała aż do Afryki, by lepiej poznać miejscową ludność i afrykańskie zwierzęta.

Mary Kingsley była pierwszą Europejką, która wspięła się na Górę Kamerun, jedną z najwyższych gór Afryki.

Kto nazwał kangura?

W latach siedemdziesiątych XIX wieku brytyjski podróżnik kapitan James Cook jako pierwszy Europejczyk wylądował na wschodnim wybrzeżu Australii. Nikt nie wie, jak miejscowa ludność, czyli Aborygeni, nazywała niezwykłe skaczące zwierzęta zamieszkujące ten kraj – jednak Cook i jego ludzie uważali, że to aborygeńskie słowo brzmiało „kangur".

Kiedy Europejczycy odkryli surfing?

Kapitan Cook i jego ludzie byli pierwszymi Europejczykami, którzy widzieli prawdziwe surfowanie, a było to w roku 1769. Surferami byli mieszkańcy niedalekiej wyspy Tahiti.

● W 1642 roku Holender Abel Tasman jako pierwszy Europejczyk odwiedził wyspę przy wschodnio-południowym wybrzeżu Australii. Dziś wyspa ta nosi nazwę Tasmania.

● Podczas długiej podróży do Australii żaden z ludzi Cooka nie cierpiał na szkorbut – śmiertelną chorobę wywołaną brakiem witaminy C. Stało się tak dzięki specjalnej diecie zawierającej sok pomarańczowy i cytrynowy oraz kwaszoną kapustę!

Którzy podróżnicy przeszli przez Australię?

W lutym 1861 roku Robert Burke i William Wills zostali pierwszymi Europejczykami, którzy przeszli Australię z południa na północ. Ta niezwykła, licząca 3000 kilometrów wędrówka przez serce kontynentu zajęła im prawie sześć miesięcy.

● Burke i Wills mieli dwóch towarzyszy: Charlesa Graya i Johna Kinga. Tylko Kingowi udało się wrócić do domu – pozostali trzej umarli w buszu z głodu.

Kiedy Beagle postawił żagle?

W latach trzydziestych XIX wieku okręt o nazwie Beagle przewoził brytyjską ekspedycję naukową dokoła świata. Zadaniem naukowców było zarówno odkrywanie nowych lądów, jak i nowych gatunków zwierząt i roślin.

● Jednym z najbardziej zdumiewających odkryć naukowców z Beagle były olbrzymie, liczące ponad metr długości żółwie z wysp Galapagos.

● Najsłynniejszym członkiem załogi Beagle był naukowiec Karol Darwin.

Dlaczego wśród podróżników byli także artyści?

Nim wynaleziono aparat fotograficzny jedynym sposobem utrwalenia wyglądu różnych obiektów było rysowanie lub malowanie. Dlatego też artyści byli bardzo ważnymi członkami pierwszych wypraw badawczych.

Którzy podróżnicy zanurkowali najgłębiej?

W styczniu 1960 roku Jacques Piccard ze Szwajcarii i Don Walsh ze Stanów Zjednoczonych zostali pierwszymi ludźmi, którzy dotarli do najgłębiej położonego miejsca na Ziemi – do dna Rowu Mariańskiego, 11 kilometrów pod powierzchnią Oceanu Spokojnego.

Czy pod wodą są kominy?

Począwszy od lat sześćdziesiątych minionego wieku naukowcy dokonują wielu zdumiewających podwodnych odkryć – należą do nich podobne do kominów wzniesienia tryskające zabarwioną na czarno wodą spod dna morza!

Kto był pierwszy na biegunie północnym?

Dwaj Amerykanie ubiegają się o ten rekord – Frederick Cook twierdzi, że stanął na biegunie w 1908 roku, a Robert Peary, że dotarł tam w roku 1909. Nie ma pewności, czy którykolwiek z nich rzeczywiście tego dokonał, lecz argumenty Peary'ego są bardziej przekonujące.

● Peary nie szedł sam – towarzyszył mu jego przyjaciel Matthew Henson i czterech Eskimosów.

Kto wygrał wyścig do bieguna południowego?

Dwa zespoły prowadzone przez norweskiego podróżnika Roala Amundsena i Brytyjczyka Roberta Scotta walczyły o tytuł pierwszego zdobywcy bieguna południowego. Wygrał zespół Amundsena, który stanął na biegunie 14 grudnia 1911 roku. Pokonanie 1300 km lodu i śniegu zajęło 56 dni.

● Zespół Scotta dotarł do bieguna południowego 17 stycznia 1912. Niestety, wszyscy członkowie zespołu, pięciu mężczyzn, umarli z głodu i zimna w drodze powrotnej.

Kto jest najlepszym przyjacielem polarnika?

Mocny pies husky doskonale radzi sobie z surową pogodą obszarów polarnych. To właśnie te psy pomogły zespołowi Amundsena wygrać wyścig do bieguna. 56 psów husky ciągnęło sanie z namiotami, żywnością i innymi zapasami dla podróżników.

● Brytyjski zespół chciał wykorzystać do ciągnięcia sań kucyki. Niestety, nie sprostały one temu zadaniu i w końcu polarnicy sami musieli ciągnąć swoje sanie.

Kim byli pierwsi ludzie w kosmosie?

● Pierwszym zwierzęciem w kosmosie był pies Łajka (1957 r.)

Rosjanin Jurij Gagarin był pierwszym człowiekiem, który podróżował w kosmosie (w kwietniu 1961 r.). Pierwszą kobietą, która opuściła Ziemię, była Walentyna Tiereszkowa (w czerwcu 1963 r.).

Jurij Gagarin

Walentyna Tiereszkowa

Kiedy ludzie wylądowali na Księżycu?

Pierwszymi ludźmi na powierzchni innego świata byli Amerykanie Neil Armstrong i Edwin Aldrin. Wylądowali na Księżycu w lipcu 1969 r.

Czy zostało jeszcze coś do odkrycia?

Wciąż wiemy bardzo mało o innych planetach. Wiele tajemnic kryje się w głębinach oceanów i w lodzie na biegunach. Lecz największe nie rozwiązane zagadki leżą poza Ziemią – kosmos to wielkie wyzwanie dla nowych pokoleń podróżników!

- Wysyłanie ludzi w kosmos jest kosztowne i niebezpieczne, więc zamiast nich używa się robotów. I tak, na przykład, od 1997 roku trzy maleńkie ruchome roboty badają powierzchnię Marsa.

- Misja Cassini-Huygens dotarła w lipcu 2004 roku do pięknej planety Saturn. Zautomatyzowane sondy, badające lodowe pierścienie wokół planety i jej księżyce, mogą odsłonić przed nami wiele tajemnic związanych z historią naszej planety.

Indeks